Español

Primer grado RECORTABLE

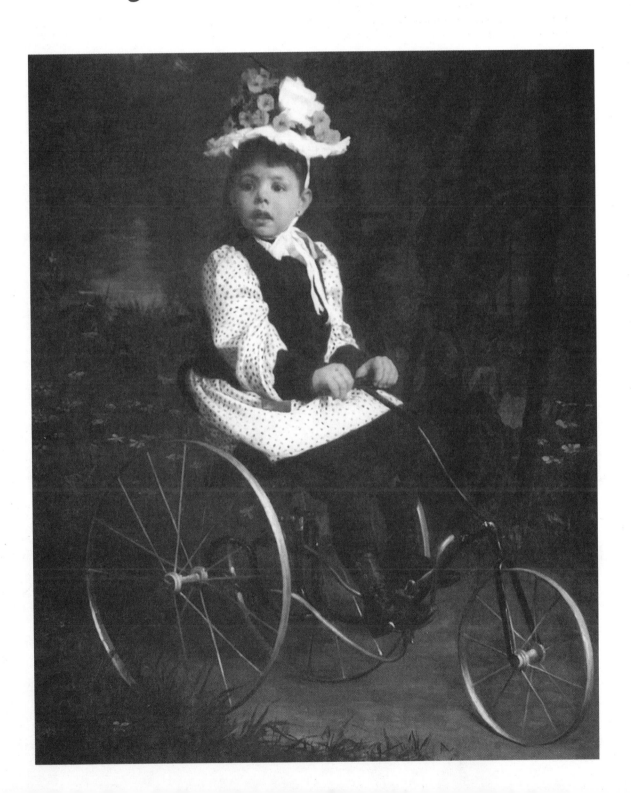

Español. Primer grado. Recortable fue elaborado por el Programa Nacional para el Fortalecimiento de la Lectura y la Escritura en la Educación Básica, con la colaboración de la Dirección General de Materiales y Métodos Educativos, ambos de la Subsecretaría de Educación Básica y Normal de la Secretaría de Educación Pública

Dirección del proyecto
Margarita Gómez Palacio

Recopilación y diseño de actividades
Laura V. González Guerrero,
Elia del Carmen Morales García (coordinadoras);
Ana Rosa Díaz Aguilar, Gregorio Hernández Zamora,
María Esther Salgado Hernández

Revisión
Lucía Jazmín Odabachian Bermúdez
Beatriz Rodríguez Sánchez
Fernando Bernal Acevedo

Colaboración
Zoila Balmes Zúñiga
Jorge Aníbal Coss Valdés
Laura Silvia Iñigo Dehud

Coordinación editorial
Elena Ortiz Hernán Pupareli
María Beatriz Villarreal González

Cuidado de la edición
José Manuel Mateo Calderón

Portada
Diseño: Comisión Nacional de Libros de Texto Gratuitos
Ilustración: *Niña en triciclo*, 1898
Óleo sobre tela, 136 x 96 cm
Germán Gedovius (1867-1937)
Casa de la Cultura de San Luis Potosí
Reproducción autorizada: Casa de la Cultura de San Luis Potosí
Fotografía: Rafael Morales Bocardo

Servicios editoriales
CIDCLI
Coordinación editorial e iconográfica:
Patricia van Rhijn y Rocío Miranda

Diseño:
Rogelio Rangel
 Annie Hasselkus
 Antonio Sierra
 Evangelina Rangel

Ilustración:
Gloria Calderas
Juan Ezcurdia
Laura Fernández
Luis Guerrero
Claudia Legnazzi
Leonid Nepomniachi
Ana Ochoa
Guadalupe Pacheco
Maribel Suárez
Gerardo Suzan
Tané, arte y diseño S.A.
Fabricio Vanden Broeck

Reproducción fotográfica:
Rafael Miranda

Preprensa
Trónix preprensa digital

Primera edición, 1997
Tercera edición, 2001
Segunda reimpresión, 2003 (ciclo escolar 2004-2005)

Haz dos sobres para las letras móviles.

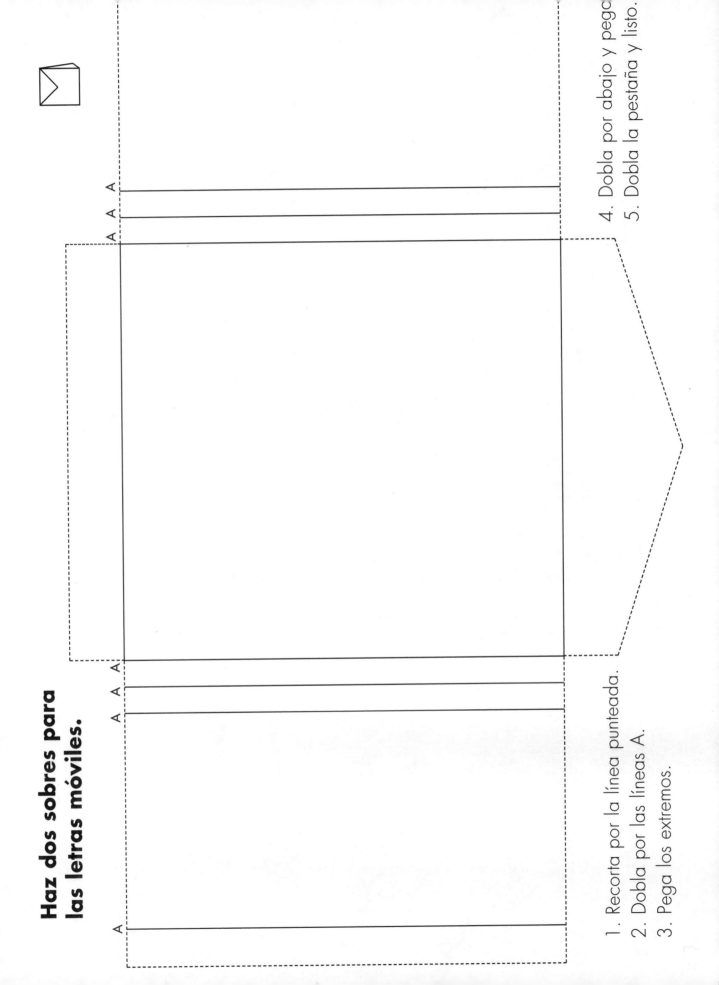

1. Recorta por la línea punteada.
2. Dobla por las líneas A.
3. Pega los extremos.
4. Dobla por abajo y pega
5. Dobla la pestaña y listo.

a	a	a	b	b	b	c	c
c	d	d	d	e	e	e	f
f	f	g	g	g	h	h	h
i	i	i	j	j	j	k	k
k	l	l	l	m	m	m	n
n	n	ñ	ñ	ñ	o	o	o
p	p	p	q	q	q	r	r
r	s	s	s	t	t	t	u
u	u	v	v	v	w	w	x

x	x	y	y	y	z	z	z
a	a	a	a	e	e	e	e
i	i	i	o	o	o	u	u
u	t	t	t	p	p	p	l
l	l	m	m	m	s	s	s
r	r	r	n	n	n	f	f
f	f	y	y	j	j	j	j
X	X	Y	Y	Y	Z	Z	Z

Tiempo de escribir

A	A	A	B	B	B	C	C
C	D	D	D	E	E	E	F
F	F	G	G	G	H	H	H
I	I	I	J	J	J	K	K
K	L	L	L	M	M	M	N
N	N	Ñ	Ñ	Ñ	O	O	O
P	P	P	Q	Q	Q	R	R
R	S	S	S	T	T	T	U
U	U	V	V	V	W	W	X

Leer y compartir

Tiempo de escribir

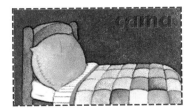
cama

escuela

jardín

calle

agua

río

Reflexión sobre la lengua

niño	papá	bosque
niña	mamá	árbol
pino	casa	jardín

Memorama de juguetes 1

 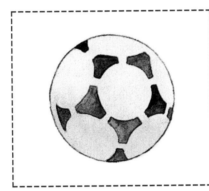 

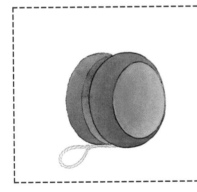 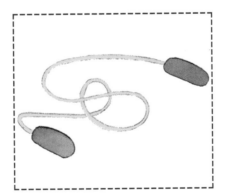 

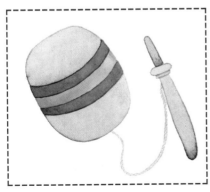  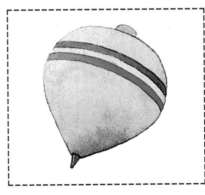

Memorama de juguetes 2

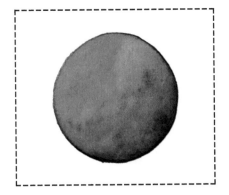

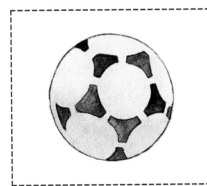

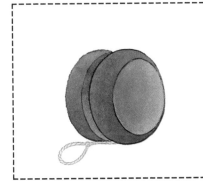

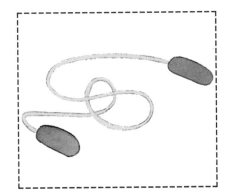

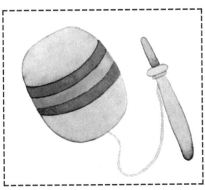

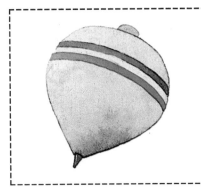

canicas	cubos	pelota
globos	balón	osito
muñeca	cuerda	yoyo
trompo	patines	balero

perico

caballo

paloma

cochino

caracol

pato

cabrita

pez

pollo

conejo

perro

camello

 Hablar y escuchar

enojado

aburrido

contento

triste

asustada

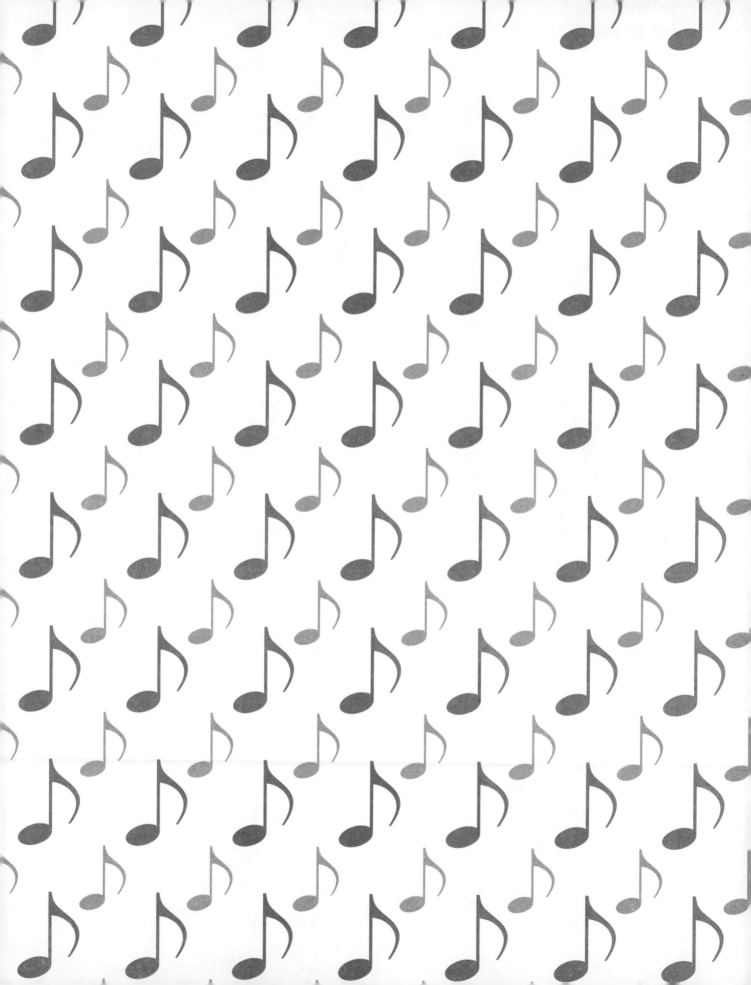

Memorama de animales 1

Memorama de animales 2

pato	perro	león
lobo	toro	gato
rana	pollo	cabra
araña	oso	tigre

 **Hablar y escuchar**

Colección de mariposas

Leer y compartir

Una cucaracha en la estufa.

La cucaracha mira los dulces.

La cucaracha se enfermó.

Y con un helado terminó.

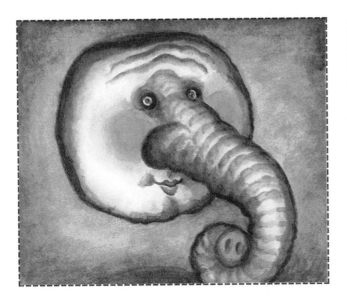

Memorama de animales y crías 1

Memorama de animales y crías 2

cabrita	gatito	cochinito
osito	conejito	perrito
changuito	patito	pececito

**Changuita
con falda**

**Changuita
con sombrero**

**Changuita
con traje de baño**

**Changuita
con vestido**

**Changuita
con tacones**

**Changuita
con rebozo**

Nombres de ropa

 **Hablar y escuchar**

Nombres de animales

Tiempo de escribir

escondidas

yoyo

futbol

roña

cuerda

Leer y compartir

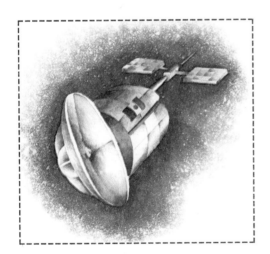

Lotería del espacio

Sol

estrellita fugaz.

Júpiter

Marte

Luna

Saturno

Lotería del espacio

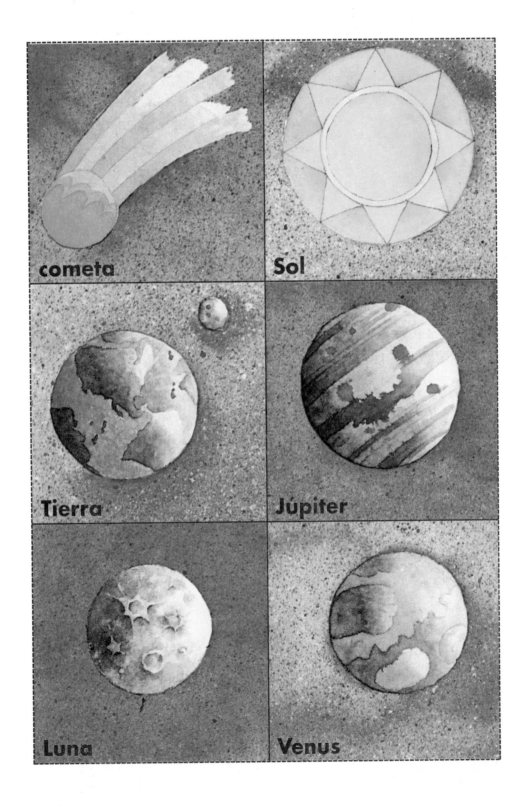

Cartas del espacio

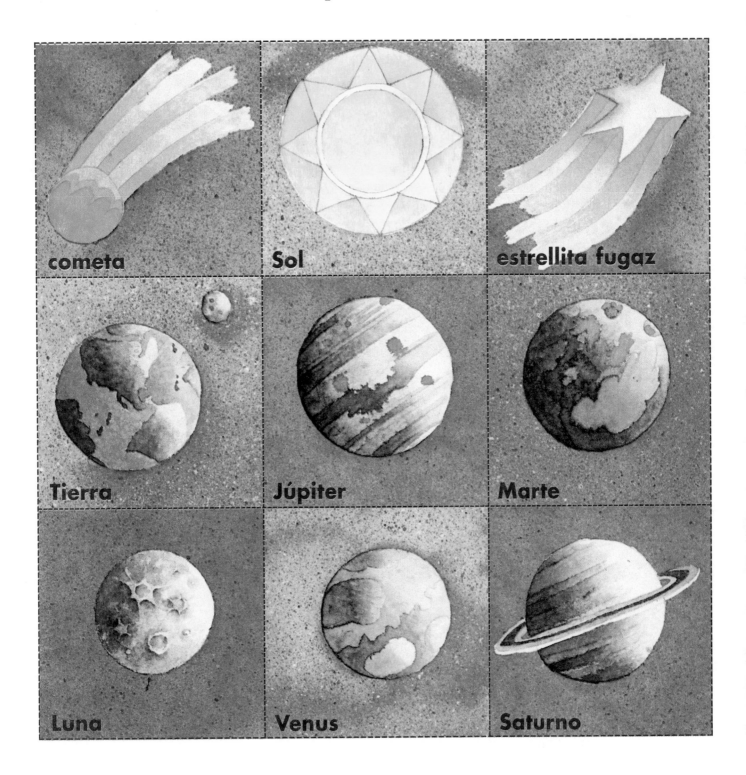

cometa

Sol

estrellita fugaz

Tierra

Júpiter

Marte

Luna

Venus

Saturno

 **Leer y compartir**

Planetas

Plutón

Urano

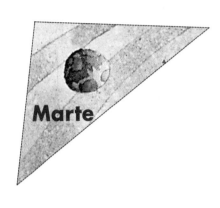

Marte

Júpiter

Venus

Mercurio

Neptuno

Saturno

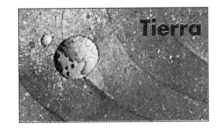

Tierra

Tiempo de escribir

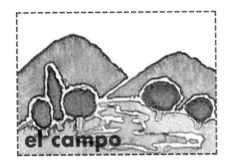

el campo

la playa

la ciudad

mi mamá

mi hermano

mi maestra

tren

autobús

barco

Memorama de transportes 1

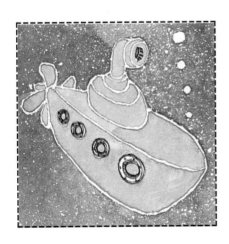  

Memorama de transportes 2

 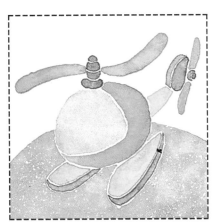 

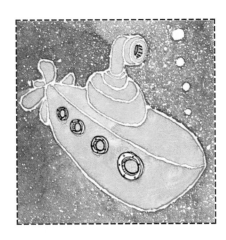  

barco	helicóptero	avión
tren	coche	autobús
lancha	bicicleta	submarino

Leer y compartir

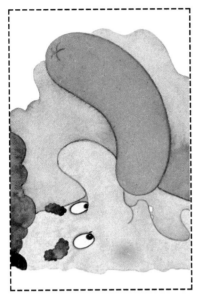

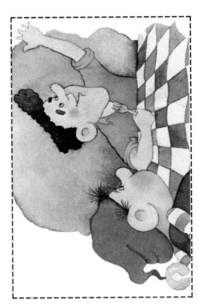

Leer y compartir

iguana

perro

gato

conejo

pájaro

pescado

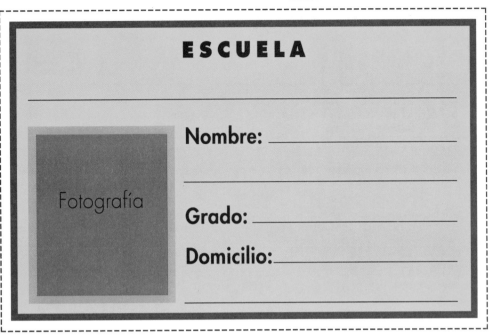

ESCUELA

Fotografía

Nombre: _____

_____

Grado: _____

Domicilio: _____

Tiempo de escribir

pajarito

culebra

gato

pececito

iguana

conejo

ratita

tortuga

rana

perro

Máscara de papá oso

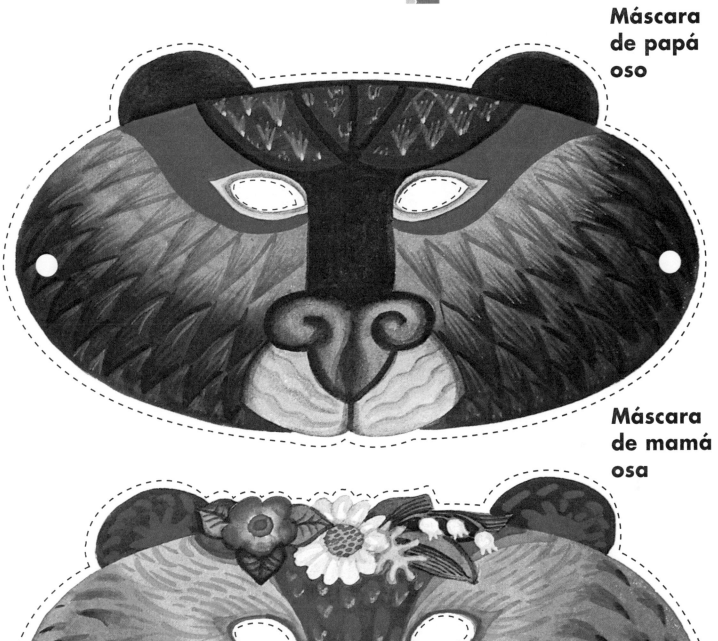

Máscara de mamá osa

Hablar y escuchar

Máscara de osito

Máscara de Ricitos de Oro

Leer y compartir

15 • Ricitos de Oro y los tres osos

 Hablar y escuchar

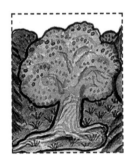  

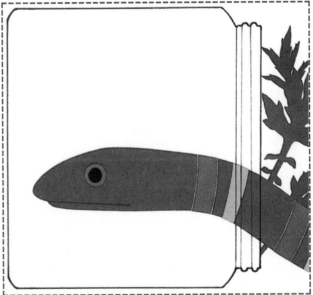

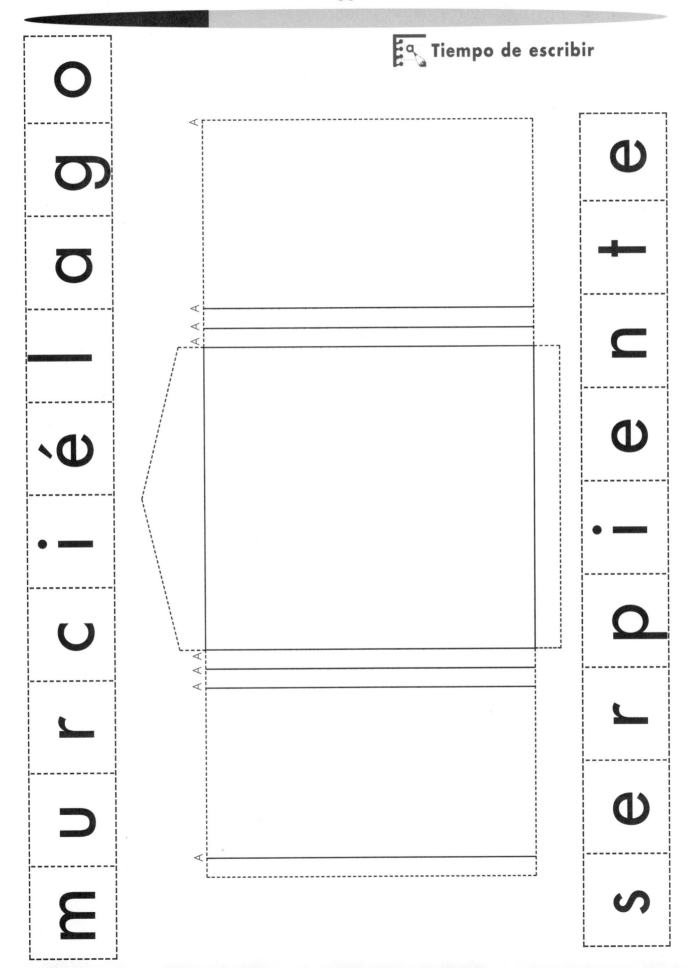

m u r c i é l a g o

s e r p i e n t e

Leer y compartir

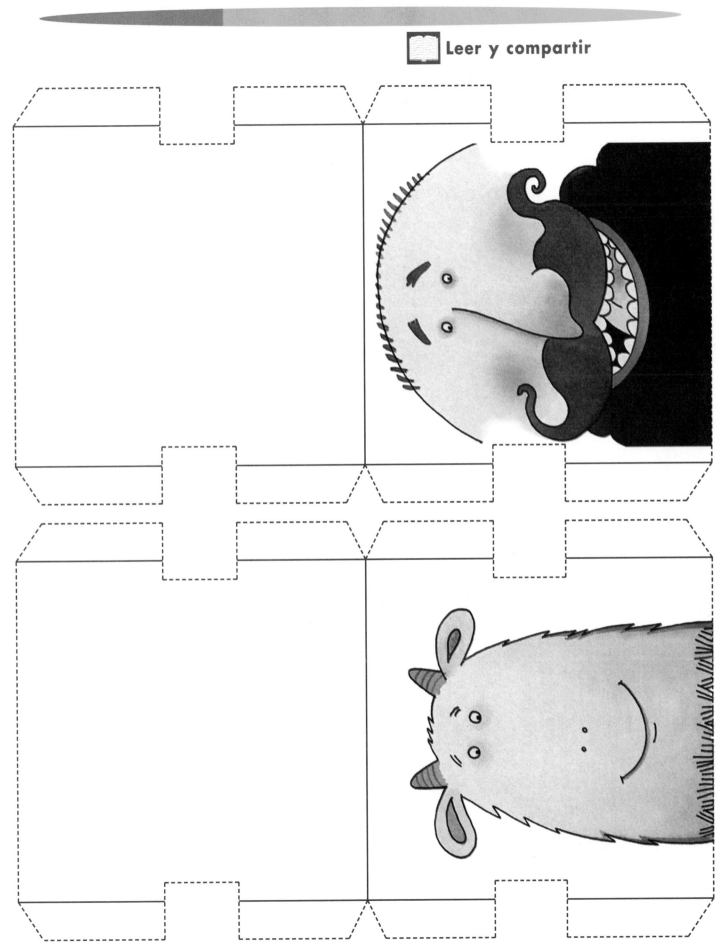

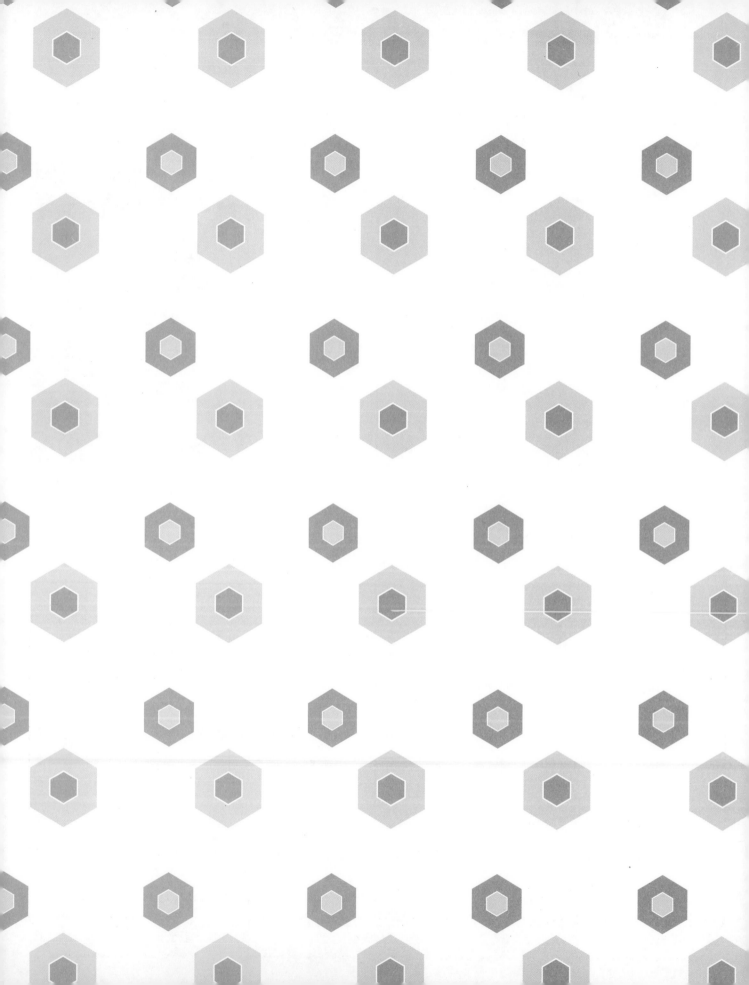

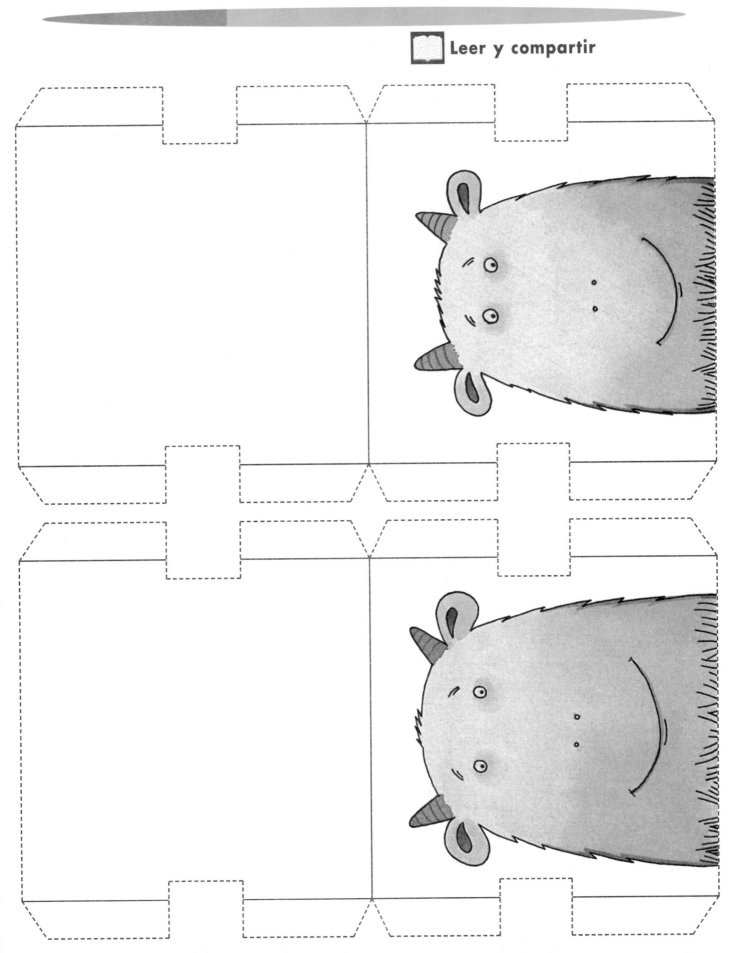

Leer y compartir

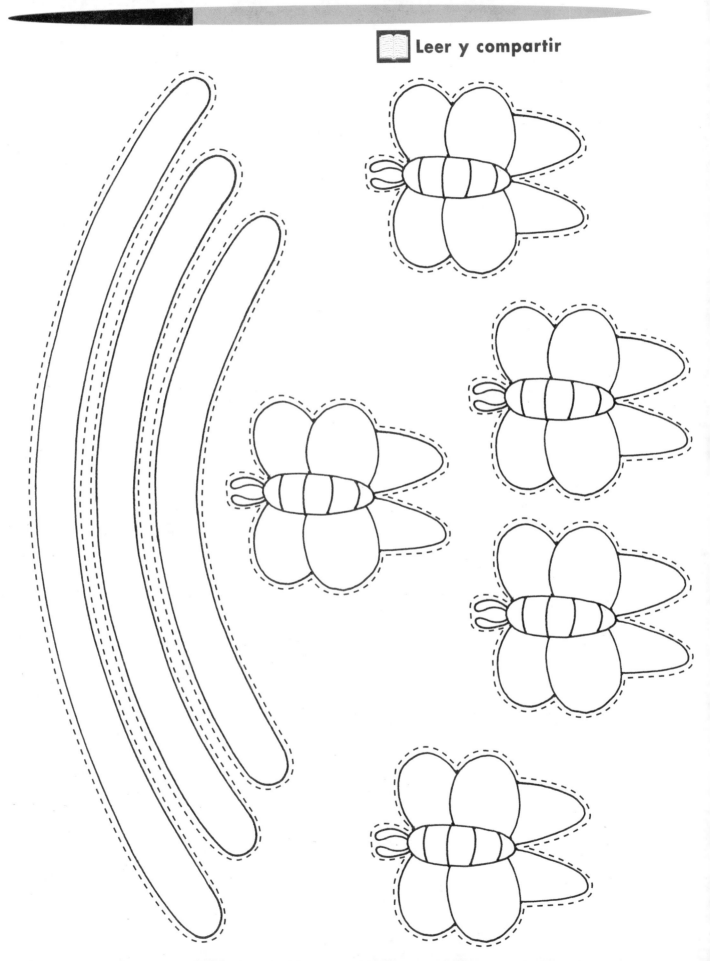

Leer y compartir

manubrio

pedales

asiento

llanta delantera

cadena

llanta trasera

25 • Los pececitos de colores

Leer y compartir

Un día llegó un pececito de colores.

—¿Quién te dio esos colores?

El pececito Arco Iris dijo que era un secreto.

Si nos dices tu secreto, te haremos Rey.

 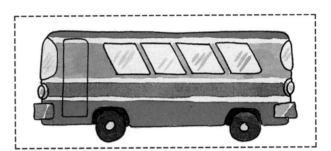

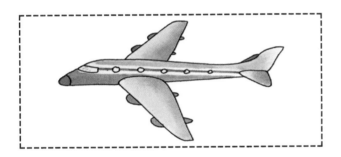 

 Leer y compartir

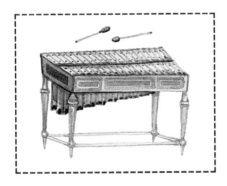

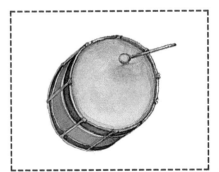

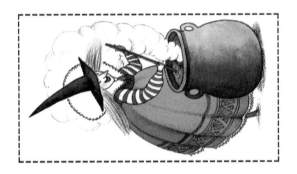

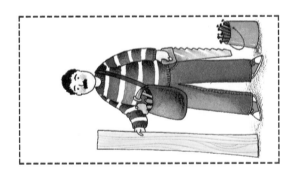

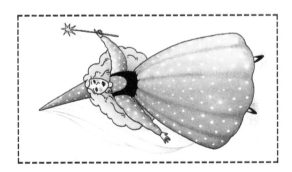

Fecha: _____

Para: _____

_____

_____

De: _____

Fecha: _____

Para: _____

_____

_____

De: _____

 **Leer y compartir**

El gato escondió las ropas de Juan. El rey ordenó que le dieran al marqués uno de sus propios trajes.

El rey salió a pasear con su hermosa hija. El gato corrió hasta donde estaba Juan y le ordenó meterse al río.

Al morir, el padre de Juan le heredó un gato y unas botas. "¿Para qué quiero un gato?", pensaba Juan.

El gato llevó muchos regalos al rey y dijo que los enviaba su amo, el marqués de Carabás.

Al verlo tan elegante, la hija del rey se enamoró de Juan. Se casaron y vivieron muy felices.

El gato le dijo: —Si haces lo que yo te diga, serás feliz.

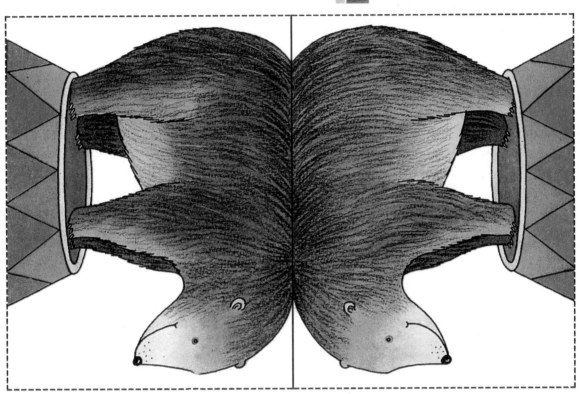

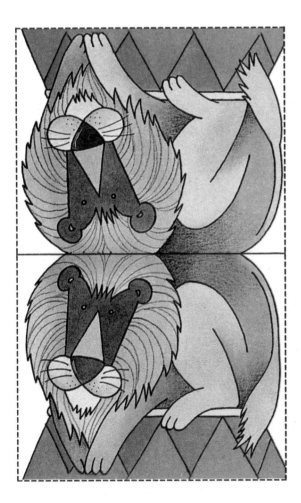

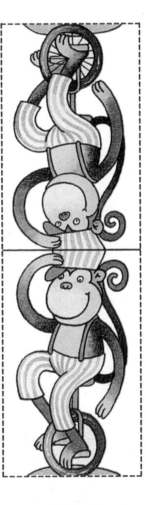

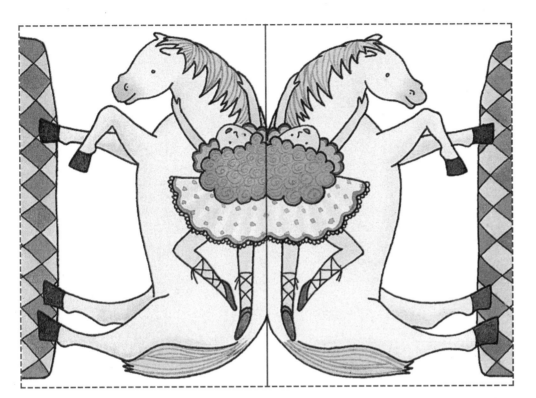

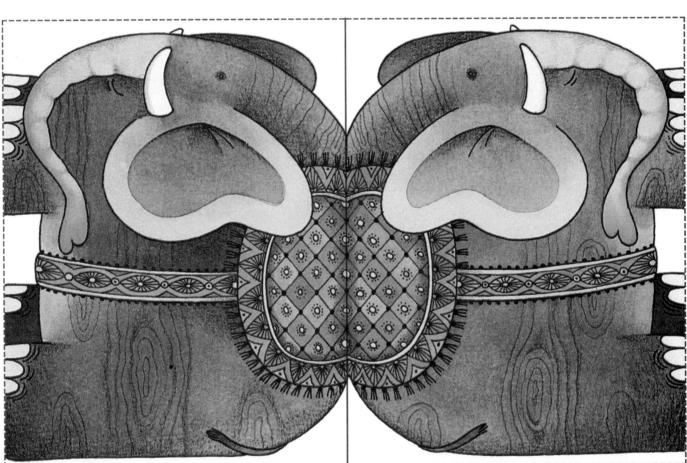

📖 Leer y compartir

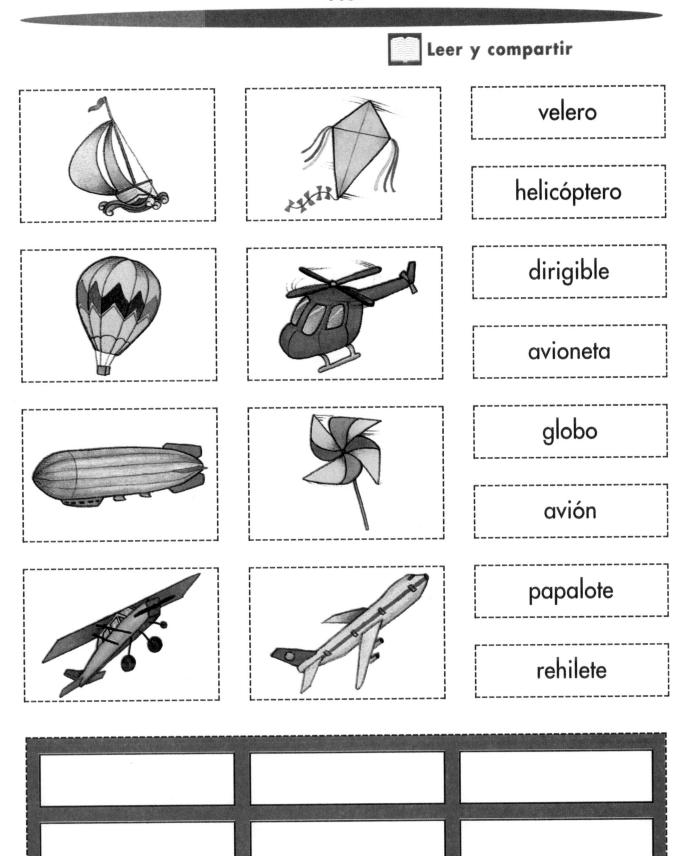

velero

helicóptero

dirigible

avioneta

globo

avión

papalote

rehilete

Hablar y escuchar

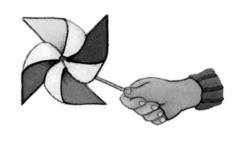

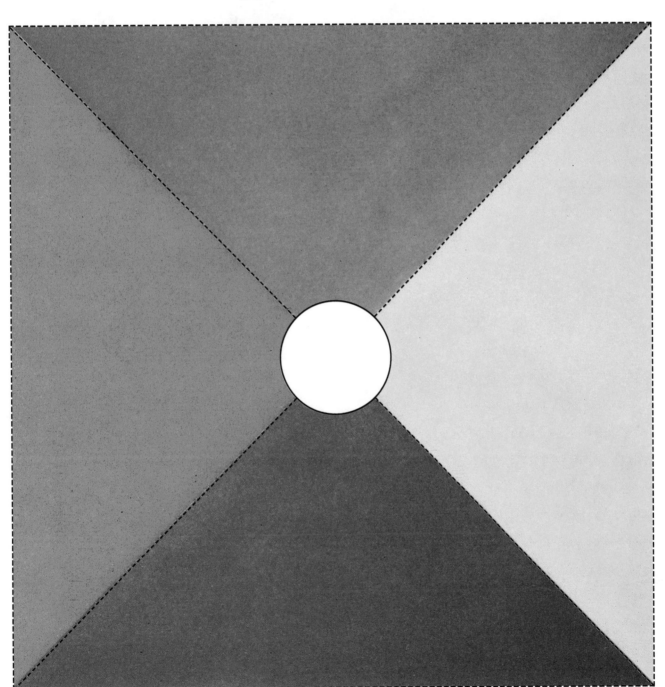

por eso me pongo traje de baño

por eso me pongo abrigo

por eso me pongo impermeable

y está nevando

y está lloviendo

y está granizando

Hace calor

Hace frío

Hace buen tiempo

Con el viento podemos
volar una cometa.

Al viento
no lo podemos ver.

El viento mueve las nubes
en el cielo.

La fuerza del viento
empuja la vela de un barco.

Leer y compartir

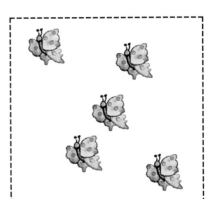

papagayo

palmera

huellas

barco

mariposas

📖 **Leer y compartir**

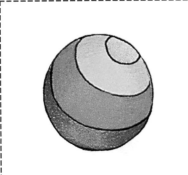  

globos

payaso

pelota

elefante

sombrilla

 **Leer y compartir**

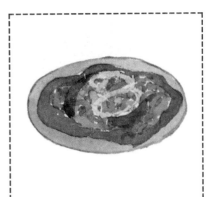

tortillas

chile

rallador

cuchillo

tostada

huevo

gallina

pato

pollito

avestruz

carnicero

bombero

florero

gato

estambre

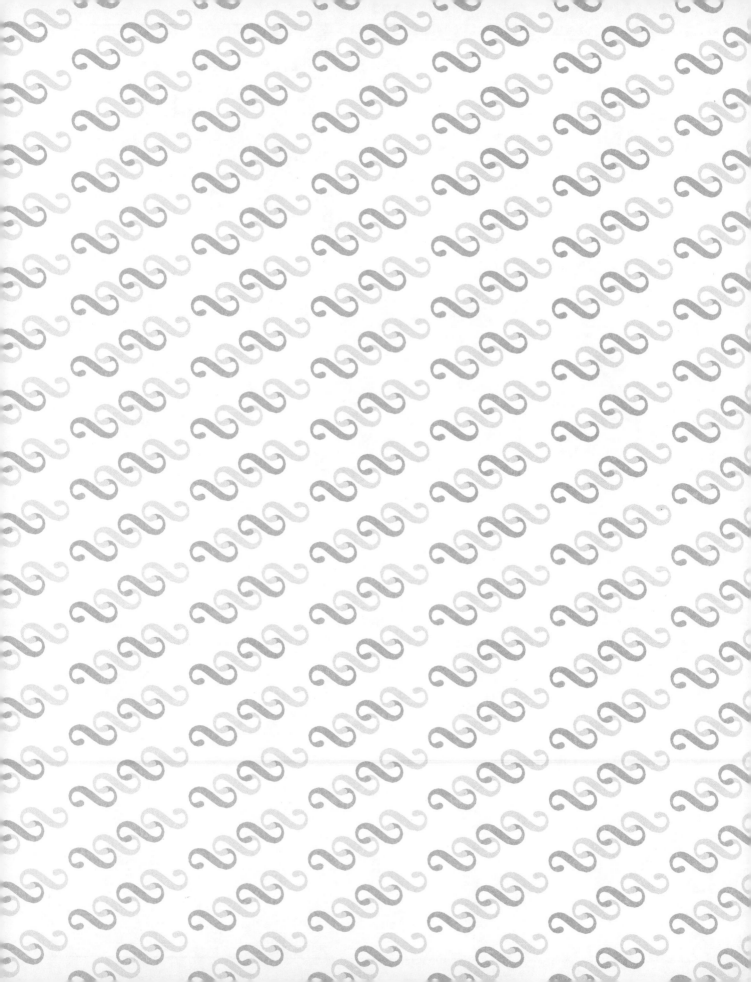

 **Leer y compartir**

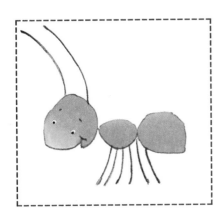

caracol

pájaro

hormiga

pez

nido

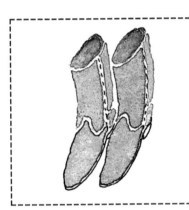  

patines

tenis

botas

ratón

lámpara

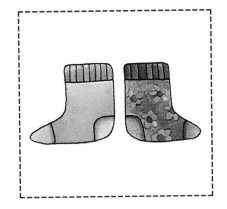

sombrero

calcetines

zapatos

camisa

pantalón

Paco

vaca

casa

policía

perro

Haz dos sobres para las letras móviles.

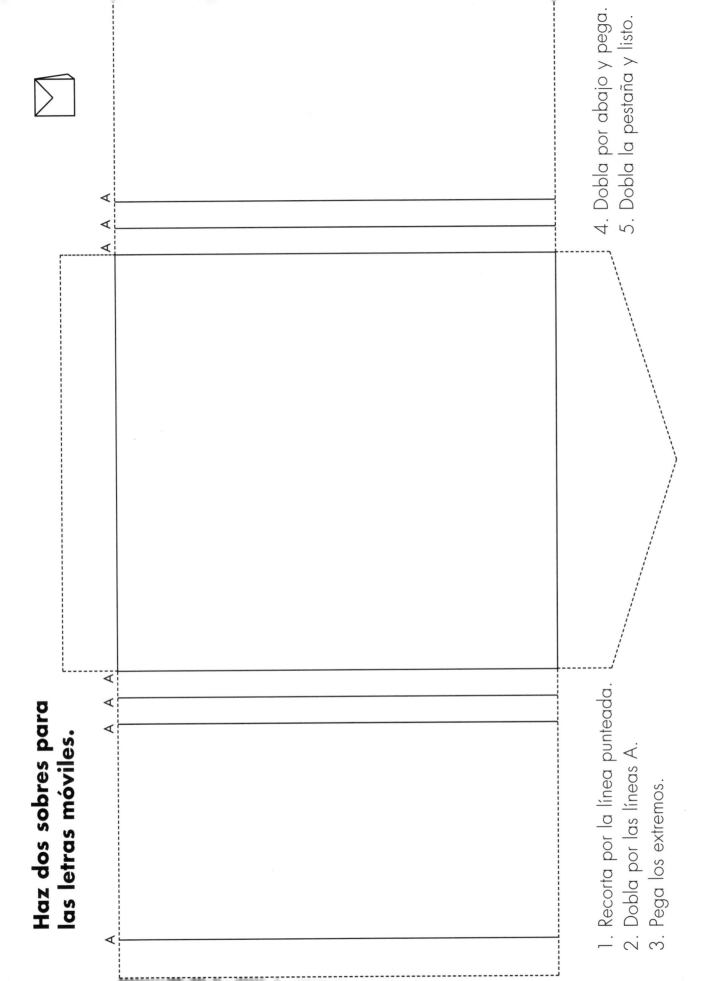

1. Recorta por la línea punteada.
2. Dobla por las líneas A.
3. Pega los extremos.
4. Dobla por abajo y pega.
5. Dobla la pestaña y listo.